LUDWIG VAN BEETHOVEN

CORIOLAN

Overture for Orchestra
Op. 62

Edited by/Herausgegeben von
Max Unger

T0081223

Ernst Eulenburg Ltd

London · Mainz · Madrid · New York · Paris · Prague · Tokyo · Toronto · Zürich

L. VAN BEETHOVEN
Overture 'Coriolan'

On 24 November 1802 Vienna's Hoftheater gave the first performance of *Coriolan*, a tragedy by the Austrian Civil Servant, Heinrich von Collin. At the time he was unaware that Shakespeare had written a tragedy on the same subject. Inevitably the two plays have the same central situation, but at the end Collin's hero stabs himself, whereas Shakespeare's is stabbed by the Volscians. *Coriolan* was in the theatre repertoire until 1805; thereafter there was a single performance on 24 April 1807 and then no more. Shakespeare's rising popularity in Austria and Germany left Collin's tragedy no hope of a lasting success.

Early in 1807 Beethoven composed an overture inspired by Collin's *Coriolan*, and this was an extraordinary time for him to do so. The play had been out of the repertoire for nearly two years, and there were no plans for its revival. Beethoven cannot therefore have intended a theatre overture designed to make its effect immediately before the play; he must have had a vision of a quite new kind of music, an overture for concert use that would convey to the audience the gist of Collin's tragedy without any assistance from words. Some time in March 1807 the *Coriolan* overture was twice performed at private concerts, given, according to a contemporary account, in the house of 'Prince L.'. This was almost certainly Prince Lobkowitz, one of Beethoven's patrons. He was also one of the directors of the Hoftheater, and it was probably at his suggestion that Collin's tragedy was soon afterwards revived for the single performance in April mentioned above. The purpose of this must have been to try out the new overture in a theatrical context, but there is no evidence that Beethoven counted on a theatrical context for performances of his music.

Briefly the story is as follows. Coriolanus has been unjustly exiled by his fellow Romans. In a mood of angry arrogance he becomes leader of the hostile Volscians and attacks Rome, bringing his own city to the verge of total defeat. His mother, Volumnia, repeatedly pleads with him to be merciful, and at last he agrees—thereby becoming a traitor to the Volscians. For Coriolanus the crisis can have no solution, and he dies.

Beethoven saw that the kernel of the story lay in the confrontation between Coriolanus and Volumnia. He began his overture by portraying his hero as truculent and burning for revenge. The main contrasting theme (bar 52) shows Volumnia pleading· for mercy, each plea a tone higher than its predecessor as she speaks with ever-rising intensity (bars 64 and 72).[1] Her son refuses to be swayed, and she is no more successful the second time (bar

---

[1]Compare bars 49-66 in the first movement of Beethoven's First Piano Concerto where, for non-dramatic reasons, a theme is twice pushed a tone higher by means of very similar woodwind chords.

178ff.). But at the last moment, with her mounting despair reflected in the minor key, (bar 244ff.), her cry for mercy turns Coriolanus from his purpose, and we hear his anger subsiding into tragic resignation as he foresees no possible course of action but suicide. (Compare bar 15 with the cello part in bars 297-310.) Beethoven was so intent on the descriptive aspect of his music that he had no recapitulation of the first subject, thinking it dramatically irrelevant. Never before had a composer distilled the essence of a story into a single piece of orchestral music with this detail or this success. Beethoven's *Coriolan* and his later *Egmont* overture led directly to the even more detailed programme music of Mendelssohn, Berlioz and Liszt.

No Beethoven sketches for this overture seem to survive. The autograph full score is in the Beethoven-Haus at Bonn. The music was published in parts by the Bureau des arts et d'industrie of Vienna in 1808, and for the first time in full score by Simrock in 1846. This Eulenburg score was edited in 1936 by Dr Max Unger from the original published parts and the autograph. A few small corrections have been made.

Roger Fiske,

L. VAN BEETHOVEN
Ouvertüre zu „Coriolan"

Am 24. November 1802 wurde die Tragödie *Coriolan* von dem österreichischen Staatsbeamten Heinrich von Collin, zum ersten Mal im Wiener Hoftheater aufgeführt. Der Autor war sich damals nicht bewusst, dass Shakespeare eine Tragödie mit dem gleichen Thema geschrieben hatte. Der Kern der Handlung ist in beiden Stücken notwendigerweise derselbe, aber bei Collin erdolcht sich Coriolan am Ende, während er bei Shakespeare von den Volskern erdolcht wird. Collins *Coriolan* blieb bis 1805 auf dem Theaterspielplan. Danach wurde das Stück nur noch ein einziges Mal, und zwar am 24. April 1807, gegeben. Die zunehmende Beliebtheit der Werke Shakespeares in Deutschland und Österreich, nahm der Tragödie Collins jede Hoffnung auf einen dauernden Erfolg.

Anfang 1807 komponierte Beethoven eine Ouvertüre, zu der ihm Collins *Coriolan* die Anregung gegeben hatte, und es ist durchaus merkwürdig, dass er es gerade dann tat. Das Stück war seit zwei Jahren aus dem Spielplan verschwunden, und eine Neueinstudierung war nicht geplant. Beethoven kann daher nicht an eine Theaterouvertüre, die unmittelbar vor dem Stück auf das Publikum wirken sollte, gedacht haben. Es muss ihm vielmehr eine ganz neue Musik vorgeschwebt haben, und zwar eine Konzertouvertüre, die den Hörern den Geist der Collinschen Tragödie ohne die Hilfe von Worten vermittelt. Eine zeitgenössische Quelle berichtet, dass die Ouvertüre zu *Coriolan* zwei Mal im März 1807 in Hauskonzerten bei „Fürst L." gegeben wurde. Es ist fast mit Sicherheit anzunehmen, dass es sich dabei um Fürst Lobkowitz, einen der Gönner Beethovens, gehandelt hat. Der Fürst war auch einer der Direktoren des Hoftheaters, und es war vermutlich seiner Anregung zu verdanken, dass Collins Tragödie bald darauf, wie schon erwähnt, noch ein einziges Mal wiederaufgeführt wurde. Zweck dieser Aufführung muss das Ausprobieren der Ouvertüre im dramatischen Zusammenhang gewesen sein, aber es besteht kein Grund anzunehmen, dass Beethoven für seine Musik mit einem solchen dramatischen Zusammenhang gerechnet hat.

Die Handlung ist, in wenigen Worten, die folgende: Der Römer Coriolan ist von seinen Landsleuten ungerecht verbannt worden. Zorn und Arroganz verleiten ihn dazu, Führer der feindlichen Volsker zu werden. Sein Angriff auf Rom führt fast zur vollständigen Niederlage seiner Vaterstadt. Seine Mutter Volumnia beschwört ihn Gnade zu üben. Schliesslich gibt er nach, und wird so zum Verräter an den Volskern. Aus dieser Krise gibt es für Coriolan keinen anderen Ausweg als den Tod.

Beethoven war sich klar, dass der Konflikt zwischen Coriolan und Volumnia der Kern der Handlung war. Er begann seine Ouvertüre mit einer Darstellung des heftigen, nach Rache dürstenden Wesens seines Helden. Das kontrastierende zweite Hauptthema (T. 52) drückt Volumnias Flehen um Gnade aus und steht bei jeder Wiederholung um einen Ton höher, als Gleichnis für die sich stetig steigernde Intensität ihrer Sprache (T. 64 und 72).[1] Ihr Sohn weigert sich nachzugeben, und auch das zweite Mal (T. 178ff.) bleibt sie erfolglos. Jedoch im letzten Augenblick, in dem sich ihre wachsende Verzweiflung in der Molltonart ausdrückt (T. 244ff.), wendet ihr Schrei um Gnade Coriolan von seinem Vorhaben ab. Wir hören, wie seine Wut verebbt, wie sie zur tragischen Ergebenheit in sein Schicksal wird, bis er keinen anderen Ausweg sieht als den Selbstmord. (Vgl. T. 15 mit der Cellostimme in T.297-310.) Beethoven nahm die Darstellung der Geschichte in seiner Musik so ernst, dass er sein erstes Thema nicht in die Reprise aufnahm, weil er eine solche Wiederholung für dramatisch unwesentlich hielt. Es gibt keinen Komponisten, der vor ihm den Gehalt einer Geschichte so reichhaltig oder so erfolgreich in einem einsätzigen Orchesterstück ausgedrückt hat. Beethovens *Coriolan* und seine spätere *Egmontouvertüre*, wiesen geradewegs zu der noch mehr ins Einzelne gehende Programmusik von Mendelssohn, Berlioz und Liszt.

Für diese Ouvertüre scheinen sich keine Skizzen Beethovens erhalten zu haben. Das Originalmanuskript befindet sich im Beethovenhaus in Bonn. Das Werk wurde 1808 in Stimmen vom Bureau des arts et d'industrie in Wien veröffentlicht, und die Partitur wurde 1846 zum ersten Mal bei Simrock verlegt. Diese Eulenburg-Partitur wurde 1936 von Dr. Max Unger, dem die erstmalig gedruckten Stimmen und das Manuskript als Quelle dienten, herausgegeben. Einige geringfügige Korrekturen sind in der vorliegenden Ausgabe hinzugefügt worden.

Roger Fiske,
Deutsche Übersetzung Stefan de Haan

[1]Vgl. Beethovens erstes Klavierkonzert, erster Satz, T.49-66, wo ein Thema zweimal, wenn auch nicht dramatisch bedingt, durch sehr ähnliche Holzbläserakkorde einen Ton hinaufversetzt wird.

Composée et Dédiée à Monsieur de Collin,
Sécrétaire aulique au Service de Sa Majesté Imp. Roy. Ap.

Ouverture

Coriolan

L. van Beethoven, Op. 62

1770—1827

Allegro con brio

4

E.E. 6600

84

E.E. 6600

E.E. 6600

E.E. 6600

E.E. 6600

E.E. 6600

E.E. 6600

E.E. 6600

E.E. 6600